DIZERES

Ciranda Cultural

DiZERES

1. O que a TV disse para a tomada?
2. O que os cromossomos dizem quando se olham no espelho?
3. O que o Batman disse para o Homem Invisível?
4. O que um prédio falou para o outro?
5. O que a esfera disse para o cubo?
6. O que a calculadora disse para o contador?
7. O que o saco disse para a batata?

Respostas: 1. "Estou ligada em você."; 2. "Cromossomos bonitos i"; 3. "Há quanto tempo eu não o vejo!"; 4. "Você tem um andar lindo!"; 5. "Deixe de ser quadrado."; 6. "Pode contar comigo!"; 7. "Vê se não me enche!".

DIZERES

8. O que o caminhão disse para a mãe dele?

9. O que o padeiro falou para o cliente que tinha acabado de acordar?

10. O que a grama disse para o gramo?

11. O que a areia disse para o mar?

12. Uma parede disse para a outra?

13. O que um sapato disse para o outro?

Respostas: 8. "Mãe tenha distância" (mantenha distância); 9. "O sonho acabou"; 10. "Estou gramada, em você."; 11. "Deixe de onda."; 12. "Encontro você logo ali no canto."; 13. "Você é meu par perfeito!"

DiZERES

14. **O que o médico que cuida de nariz, ouvidos e garganta disse quando ouviu uma piada sem graça?**

15. O que o peixe disse após ouvir uma declaração de sua amada?

16. O que um botijão falou para o outro enquanto estavam em cima do caminhão?

17. O que um porco-espinho fala para o outro quando se abraçam?

18. Como se cumprimenta um monstro de duas cabeças?

19. O que o sofá diz quando está com fome?

Respostas: 14. "Olha bem pra mim e vê se 'otorrino' de alguma coisa?; 15. "Então, peixe-me!"; 16. "Vamos vazar!"; 17. "Ai, ui, ai, uii"; 18. "Oi! Oi!"; 19. "Estoufamento!".

DiZERES

20. **O que o morceguinho falou quando viu o Batman pela primeira vez?**

21. O que um bolo simples disse para o outro?

22. O que a sardinha disse ao ver um submarino?

23. O que o zero disse para o oito?

24. O que a linha disse para a agulha?

25. O que um elevador disse ao outro?

26. O que um pé disse para o outro?

27. O que o sapato disse para o chiclete?

Respostas: 20. "Papaii"; 21. "Precisamos de cobertura!"; 22. "Olhe só! Uma lata de gente!"; 23. "Bonito o seu cinto!"; 24. "Estou te seguindo."; 25. "Aqui, as pessoas sobem na vida rápido!"; 26. "Vá na frente, que eu já sigo!"; 27. "Vê se desgruda!".

DIZERES

28. O que uma garça disse para outra?

29. **O que uma raquete de pingue-pongue disse para a outra?**

30. O que o fusca falou para o trólebus?

31. O que o papagaio disse para o pinguim?

32. O que o burro disse para o velho Pascal?

33. O que o mar disse para a praia?

34. O que o céu disse para a Terra?

Respostas: 28. "Você é uma garcinha!"; 29. "Vamos bater um papo!"; 30. "Muito legal o seu suspensório!"; 31. "Poxa, ninguém me avisou que a festa era a rigor!"; 32. "Monte, Pascal!"; 33. "A gente se vê na areia."; 34. "Tá tudo azul?".

DIZERES

35. O que a mãe do ET disse quando ele voltou para casa?

36. O que o maestro respondeu ao espectador que reclamou do baixista que tocava errado?

37. O que o rato americano falou para o rato brasileiro?

38. O que um alho disse para o outro?

39. **O que o passarinho disse para o outro quando viu um foguete?**

40. O que o palito de fósforo disse para a caixa dele?

Respostas: 35. "Não entre em casa com os pés sujos de Terra."; 36. "O que vem de baixo não me atinge"; 37. "C'amon, dongôi."; 38. "Seu dente está sujo"; 39. "Eu também voaria depressa se a minha cauda estivesse pegando fogo."; 40. "Por você, sou capaz de perder a cabeça!".

DIZERES

41. O que a denta disse para o dente quando o dentinho nasceu?

42. O que o coelho disse quando se asustou?

43. O que foi que o polvo pediu para a namorada?

44. O que o vampiro disse para a vampira?

45. O que um ímã disse para o outro?

46. O que uma hortelã falou para a outra?

47. O que o leite disse para o café?

48. O que uma folha de papel disse para a outra quando apareceu a tesoura?

Respostas: 41. "É a cárie do pai!". 42. "Minha nossa cenoura!". 43. "Posso pegar na sua mão, sua mão, sua mão, sua mão, sua mão...?". 44. "Eu adoro o seu tipo sanguíneo!". 45. "Você é muito atraente!". 46. "Não menta pra mim!". 47. "Vou aí fazer uma média com você". 48. "Xi, cortou o papo!".

DIZERES

49. O que uma bolinha de pingue-pongue falou para a outra?

50. O que um ladrão sugeriu a outro na festa junina?

51. O que a vassoura falou para a outra?

52. O que o bombeiro sempre diz na vida?

53. O que o comprimido efervescente falou para a água?

54. O que a vaca disse para o homem?

Respostas: 49. "Cuidado com a esca-da-da-dai"; 50. "Vamos formar uma quadrilha?"; 51. "Já soube da última sujeira?"; 52. "É fogo!"; 53. "Shhhhiiii"; 54. "Muuuuuuuuuuuuito obrigada!".

DIZERES

55. O que o tigre disse quando começou a chover?

56. Qual foi a última coisa que o garoto travesso disse na cabine do avião?

57. O que a ostra falou para o garçom que lhe atendeu mal?

58. O que um piloto de avião diz quando está feliz?

59. O que o azeite falou para o vinagre?

60. O que uma galinha perguntou para outra na hora de preparar café?

Respostas: 55. "Isso vai borrar as minhas listras..."; 56. "O que acontece se eu apertar este botããããoooooo?"; 57. "Não venho ostra vez aqui!"; 58. "Estou nas nuvens!"; 59. "Não falo nada, só óleo" (= só olho); 60. "Pó-pó-pó?" (= pode pôr pó [de café]).

DIZERES

61. Qual foi a última coisa que o sujeito metido disse ao eletricista?

62. Qual a expressão crítica predileta dos pacifistas?

63. O que uma pulga disse para a outra quando elas iam passear?

64. O que um rato disse quando viu um morcego?

65. O que o boi disse para a vaca?

66. O que o micróbio filho disse para o micróbio mãe?

67. O que um camarão perguntou ao outro?

68. **Qual foi a última coisa que o distraído disse?**

Respostas: 61. "Deixa comigo, esse aqui é o fio terrrrrr..."; 62. "É uma bomba!"; 63. "Vamos a pé ou vamos de cachorro?"; 64. "Não sabia que nós, ratos, podíamos voar!"; 65. "Te amuuuuuuuuuuuuuuuuu!"; 66. "Mãe, mi crobe."; 67. "Nos veremos no coquetel?"; 68. "Buraco? Que buraaaaaaaaaaa..."

DIZERES

69. O que o paciente disse ao médico quando este lhe falou que a sua doença era hereditária?

70. Por que os amigos daquele garoto sempre faziam "mééé, mééé!", quando a mãe dele o chamava?

71. Qual é a expressão rotineira que nunca podemos usar no seu sentido real?

72. O que o engraxate disse para o sapato velho?

73. Qual foi a última coisa que o homem na mina cheia de dinamites disse?

74. O que um bolo diz quando está zangado?

Respostas: 69. "Então mande a conta da consulta para meus pais!"; 70. Porque ela dizia: "Vem cá, Britoi"; 71. "Estou morto!"; 72. "Nossa, como você está sem graxa!"; 73. "Tá muito escuro, vou acender um fósf..."; 74. "Tô boladão!".

DIZERES

75. Qual é o outro lado da expressão: "Colocar as coisas em pratos limpos"?

76. O que o pescador respondeu ao guarda que lhe disse que precisava de licença para pescar?

77. O que os cogumelos disseram para o palmito?

78. Qual o ditado preferido dos críticos de poesia?

79. Qual a expressão preferida dos preguiçosos?

80. O que o chão disse para a chuva?

Respostas: 75. "Alguém sempre acaba se sujando com isso."; 76. "Não, obrigado, prefiro usar minhocas!"; 77. "We are the champions, my friend!"; 78. "A emenda é pior que o soneto."; 79. "Nem pensar!"; 80. "Se você não parar, meu nome acabará jogado na lama.".

DIZERES

81. Qual a expressão que serve tanto para admirar um fenômeno da natureza quanto para protestar contra ele?

82. O que a célula disse para o cabeleireiro?

83. O que um pé disse ao outro quando percebeu que ambos iam ser calçados?

84. O que a joaninha disse para o grilo?

85. O que um planeta disse para o outro?

86. O que o garfo disse para a colher?

Respostas: 81. "Que raio de sol!"; 82. "Mi tose"; 83. "Prepare-se que lá vem sauna!"; 84. "Pare de ser cri-cri!"; 85. "Preciso de espaço!"; 86. "Eu a vi dando sopa ontem!".

DIZERES

87. O que o chinês falou quando inventou a pólvora?

88. O que o livro de culinária disse para o leitor?

89. O que disse o espremedor ao apertar a uva e desistir de fazê-la confessar algum crime?

90. O que disse um olho para o outro?

91. O que a formiga falou para a barata?

92. O que foi que o mulo falou para a mula?

93. O que o filtro disse para a água poluída?

Respostas: 87. Eu também não sei. Ele falou em chinês; 88. "Não sei não, mas sinto que você vai me comer com os olhos"; 89. "Desta vez, passa!"; 90. "Entre nós dois, alguma coisa está cheirando."; 91. "Seu marido é um barato"; 92. Vamu-lá?!?!; 93. "Por mim, você não passa aqui!".

DIZERES

94. O que o número 2 pequeno falou para o número 1 grande?

95. O que o Batman disse para o Robin ao sair do batmóvel?

96. O que o coador falou para o pó de café?

97. O que a moto falou para a ambulância?

98. O que o asfalto disse para o pneu?

99. O que disse uma árvore para a outra?

100. O que um olho disse ao outro?

Respostas: 94. "Você é grande, mas não é dois!"; 95. "Bat a porta."; 96. "Já vem esse cara encher o saco..."; 97. "Tão grandona e tão chorona."; 98. "Você vai acabar me deixando careca."; 99. "Nos deixaram plantadas."; 100. "Cadê você?".